Paroles

de

réconfort

de vos

anges

Paroles

de

réconfort

de vos

anges

365 pensées quotidiennes

Doreen Virtue, Ph.D.

Syntonisez Radio Hay House au www.hayhouseradio.com

Éditeur : François Doucet
Traduction : Laurette Therrien
Révision linguistique : L. Lespinay
Correction d'épreuves : Nancy Coulombe, Isabelle Veillette
Typographie et mise en page : Matthieu Fortin
Graphisme de la page couverture : Matthieu Fortin
Design de la couverture : Jenny Richards
Illustrations : Audrey Rawlings Arena : **www.fantasyartbyaudrey.com** – Glenda Green :
      www.lovewithoutend.com et PicturesNow.com
Photographie de Doreen : www.photographybycheryl.com
ISBN 978-2-89565-722-4
Première impression : 2009
Dépôt légal : 2009
Bibliothèque et Archives nationales du Québec
Bibliothèque Nationale du Canada

Éditions AdA Inc.
1385, boul. Lionel-Boulet
Varennes, Québec, Canada, J3X 1P7
Téléphone : 450-929-0296
Télécopieur : 450-929-0220
www.ada-inc.com
info@ada-inc.com

Diffusion
Canada :   Éditions AdA Inc.
France :   D.G. Diffusion
              Z.I. des Bogues
              31750 Escalquens - France
              Téléphone : 05-61-00-09-99
Suisse :   Transat - 23.42.77.40
Belgique :   D.G. Diffusion - 05-61-00-09-99

Imprimé en Chine $\mathcal{S}$ODEC

Participation de la SODEC.
Nous reconnaissons l'aide financière du gouvernement du Canada par l'entremise du
Programme d'aide au développement de l'industrie de l'édition (PADIÉ) pour nos activités
d'édition.
Gouvernement du Québec - Programme de crédit d'impôt pour l'édition de livres - Gestion
SODEC.

**Catalogage avant publication de Bibliothèque et Archives nationales du Québec et
Bibliothèque et Archives Canada**

Virtue, Doreen, 1958-

    Paroles de réconfort de vos anges : 365 pensées quotidiennes

    Traduction de: Healing words from the angels.

    ISBN 978-2-89565-722-4

    1. Anges - Miscellanées. 2. Écrits spirites. I. Titre.

BF1290.V5714 2009   133.9'3   C2008-942258-9

INTRODUCTION

Selon la loi du libre arbitre, les anges peuvent vous secourir uniquement lorsque vous le leur demandez ou que vous leur en donnez l'autorisation. Pourtant, nombreux sont ceux et celles qui oublient d'invoquer leurs anges. J'ai donc créé ce livre dans le seul but de vous aider à penser à faire appel à vos anges pour tout et en toutes circonstances.

Toutes les pensées inscrites dans ce livre proviennent directement des anges, par conséquent, chaque fois que vous rencontrerez le mot *nous*, sachez que les anges s'adressent personnellement à vous pour vous apporter réconfort, guidance et amour de Dieu. En lisant chaque jour leurs paroles, vous serez submergée* par la douce énergie de leur amour. Cela vous aidera à demeurer à l'écoute des messages provenant de votre propre ange gardien.

Mon vœu le plus cher est qu'à l'aide de ce livre, chacune de vos journées soit remplie de félicité, de miracles et de joie.

— Doreen Virtue

---

* Note de l'éditeur : Ce livre s'adresse aux deux genres ; cependant, dans cet ouvrage-ci, nous avons privilégié le féminin.

TOUS vos lendemains sont sous notre précieuse garde. Ayez la foi et la confiance que vos besoins seront toujours comblés, aujourd'hui et dans le futur.

FAIRE appel aux anges est une façon efficace de mettre de la lumière et de l'amour dans n'importe quelle situation.

N'IMPORTE qui peut faire appel
à nous ; il n'est nul besoin de
pratiquer une religion ou de
« mériter » ce privilège.

L'AIDE angélique est
le droit Divin et le privilège
de chacun.

PENSEZ à nous comme à une ligne ouverte 24 heures sur 24, qui ne sonne jamais occupée et qui ne vous met jamais en attente.

VOUS pouvez faire appel à nous en pensant :
Anges, s'il vous plaît aidez-moi ; en nous
exposant votre problème mentalement ou à
haute voix ; en priant Dieu de vous envoyer
plus d'anges ; en nous visualisant autour
de vous ou de vos êtres chers ; en nous
écrivant une lettre ; et en utilisant les
cartes divinatoires des anges.

PEU importe *comment* vous vous y prenez pour communiquer avec nous, l'important c'est de le *faire* !

8

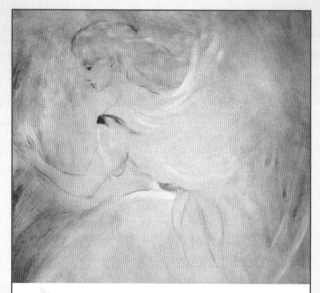

RAPPELEZ-vous que nous n'avons pas le droit d'intervenir dans votre vie sans votre autorisation. Pensez aussi à demander l'aide du Ciel en *toute chose* aujourd'hui.

PUISQUE nous sommes le prolongement et les messagers de Dieu, que vous vous adressiez à nous directement ou que vous envoyiez vos requêtes au Créateur, le résultat sera le même.

PENSEZ à nous comme à des facteurs divins qui livrent les messages d'amour et de lumière du Créateur à ses créatures.

Nous, les anges, illuminons votre esprit et votre cœur grâce à une formidable infusion de lumière. Nous vous aidons à voir la vérité Divine de chaque situation à travers le brouillard d'une angoissante illusion.

12

NOUS tenons à vous rappeler que malgré toutes les apparences du contraire, tout finit toujours pour le mieux.

NOUS pouvons vous aider à guérir *n'importe quoi* — sans exception.

VOUS n'avez pas besoin de lutter contre quoi que ce soit dans la vie, pas même contre les objets matériels ou vos finances.

NOUS vous assistons dans votre vie de tous les jours, afin que vous soyez plus en santé et plus heureux chaque jour. Cela inclut de vous aider à avoir une bonne nuit de sommeil.

VOUS pouvez nous demander de venir dans vos rêves et d'éliminer toute douleur physique ou émotionnelle. Il se peut que vous ayez oublié votre rêve au réveil, mais vous saurez que nous vous avons rendu visite.

PARFOIS, il vous arrive de prier pour que nous secourions quelqu'un que vous aimez. Vos prières sont tout aussi puissantes pour l'autre qu'elles le sont pour vous, à condition que cette personne accepte d'être secourue.

LES ENFANTS sont naturellement enclins à travailler avec nous, et ils trouvent un grand réconfort à demander l'aide du Ciel.

QUAND vous invoquez les anges pour quelqu'un d'autre, il est très fréquent que vous receviez une confirmation que nous sommes apparus. Cette confirmation peut prendre la forme d'un signe physique, d'une intuition intérieure, d'une impression ou d'une guérison.

NOUS invoquer est un des actes de guérison les plus puissants et les plus profonds que vous puissiez accomplir devant ce qui ressemble à une maladie ou à une blessure.

MÊME si vous êtes assaillie par le doute ou l'incrédulité, le seul fait de nous invoquer entraînera des bienfaits immédiats sur votre santé — et sur celle des gens que vous aimez — en cas de maladie.

DÉPLOYEZ vos ailes et envolez-
vous en toute confiance,
ange de la Terre !

VOUS vous appuyez sur la même énergie qui soutient les planètes et le firmament. Si Dieu peut soutenir l'énorme planète Jupiter, Il peut certainement en faire autant pour vous.

CONSERVEZ seulement des pensées d'amour et de succès, et vous serez assurée de n'attirer qu'amour et succès dans votre vie.

25

VOUS êtes aimée, guidée et
protégée par nous, vos anges
gardiens, maintenant et
à jamais.

SACHEZ que nous reconnaissons vos vrais talents, votre vraie beauté et votre vraie sagesse.

NOUS, vos anges gardiens,
connaissons chaque aspect de
votre mission de vie Divine ; nous
vous guiderons et répondrons à
vos questions, si seulement vous
nous le demandez.

INVITEZ-nous dans vos rêves pour répondre à vos questions et à vos préoccupations. Pendant que vous dormez, votre esprit est plus ouvert aux conseils Divins.

NOUS ferons tout ce qui
est nécessaire afin que
vous trouviez la paix.

JAMAIS il ne faut craindre de nous importuner avec vos requêtes. Nous sommes ici pour vous aider dans *tout* ce qui peut vous apporter la paix.

NOUS, les anges, veillons
autant sur ceux qui croient
que sur les sceptiques.

NOUS voyons au-delà des traits de personnalité et décelons la pure et merveilleuse lumière de Dieu en chacun. Aujourd'hui, essayez de vous voir et de voir les autres comme nous vous voyons… avec amour.

OUVREZ votre cœur à notre
amour. Il est profond, doux,
chaleureux et réconfortant.

SUIVEZ la sagesse de votre voix intérieure, qui vous guide avec amour et lumière.

MÊME un appel au secours formulé ainsi : *Si quelqu'un m'entend, je vous en prie, aidez-moi !* suffit pour invoquer notre assistance.

QUAND vous abandonnez les peurs qui vous empêchent de capter et de reconnaître nos messages, vous devenez plus consciente de la présence de l'amour dans votre vie.

NOUS, les anges, sommes
près de vous comme
un cadeau du Créateur.
Notre désir le plus cher est
d'établir la paix sur la Terre,
une personne à la fois.

VOUS, qui cherchez des réponses,
vous finirez par les trouver,
puisque vous nous consultez
en lisant nos paroles.

NOUS sommes vos anges et nous vous aimerons pour l'éternité.

VOTRE amour est bonheur, est paix, est immortalité, et nous en prenons grand soin.

VOUS êtes le produit de la création Divine et en tant que tel, vous êtes déjà entièrement formée, en tous points.

L'AMOUR Divin a toujours été
la réponse que vous recherchiez,
et le sera toujours.

APPRENEZ et grandissez sans rien brusquer, en « désapprenant » la douleur et en vous remémorant l'amour ; vous dénouerez ainsi les drames dans lesquels vous vous êtes enlisée.

44

NE laissez plus un instant s'envoler sans prendre conscience de l'amour qui palpite en vous sans interruption, comme au rythme d'un tambour, en parfaite synchronie avec les effusions de joie de Dieu.

PENSEZ à insuffler le sens
du sacré dans vos relations
amoureuses ; pensez aussi à
rechercher la sécurité et un abri
dans l'unique lieu où vous puissiez
les trouver : en Dieu.

VOUS êtes chez vous, vous êtes
en sécurité et vous êtes aimée,
maintenant et à jamais.

VOTRE ego vous presse d'accomplir des choses, alors que votre âme vous demande simplement de jouir de la façon de le faire.

CEUX que vous aimez ne sont jamais hors d'atteinte — ni maintenant ni jamais — puisque les âmes communiquent constamment entre elles, en particulier lorsqu'il est question d'amour familial.

VOTRE âme, incapable de mensonge ou de caprice, sait qu'en cet instant précis, tous ceux que vous aimez — sur Terre et dans l'Au-delà — baignent dans la joie extatique de Dieu.

LA VRAIE communion avec
ceux que vous aimez vient du
fait que vous communiquez
avec eux dans l'éclat intérieur
de la joie infinie de Dieu.

LORSQUE vous transmettez de la joie à ceux que vous aimez, vous êtes si profondément liés que les mots sont inutiles.

LA JOIE est tout. Le reste n'est que préoccupation de l'ego, indigne de la sainteté de votre esprit.

LA GUÉRISON émotionnelle ne veut pas dire ressasser les blessures du passé, mais plutôt voir le monde avec un regard neuf.

VOTRE moi authentique et intime n'a ni cicatrice ni blessure ; il est totalement sûr de vivre une vie paisible pour le plus grand bien de tous.

CE sur quoi votre cœur se penche *doit* se réaliser.

NOUS sommes les anges qui vous accompagnent nuit et jour, et qui refusent absolument de vous voir autrement qu'à travers la sainte lumière qui brûle en vous.

BIEN-AIMÉE enfant de Dieu,
vous n'avez rien fait de mal et
nous vous assurons que vous
êtes infiniment aimable — et ce,
maintenant et à jamais.

ALLEZ vers l'éternité le cœur réjoui, sachant qu'au paradis vos vrais Père et Mère vous aimeront et réconforteront pour toujours.

CONFIEZ la situation à Dieu et aux anges, et sachez que nous vous aiderons à relever efficacement ce défi et tout ce qu'il implique.

VOUS avez reçu le pouvoir de guérir, un pouvoir si merveilleux que si vous le regardez en face, vous tomberez à genoux en admiration devant ce don extraordinaire que vous a fait le Créateur !

PARDONNEZ-vous, enfant chérie
de Dieu, pour avoir sévèrement
jugé votre réalité !

EN toute situation, demandez-vous
si chaque pensée, chaque parole
et chaque action entraînent une
conscience plus grande ou moins
grande de l'amour.

RIEN ne doit vous faire peur ou vous inquiéter, cher être. Vous êtes tous, vous et vos proches, bercés et protégés par la force et l'amour de Dieu.

64

EN vérité, l'amour est tout. Tout le reste n'est qu'illusion et par conséquent, ne mérite ni votre temps, ni votre énergie, ni votre attention.

VOUS pouvez voler, libre comme un oiseau, sans contrainte ou limitation de temps. Vous pouvez y arriver dès maintenant!

LA seule restriction, ce sont les limites de votre foi qui vous empêchent de briser les barreaux de la prison que vous vous êtes bâtie.

VOUS tenez vraiment la clé qui ouvre votre prison quand vous imaginez la porte de votre cellule grande ouverte.

EN ouvrant toute grande la porte de votre prison, vous permettez aux autres de s'évader comme ils le désirent.

TOUT comme vous exprimez votre gratitude à autrui, efforcez-vous d'avoir autant de gratitude envers vous-même.

LE centre de votre cœur brûle d'un amour éclatant lorsque vous faites l'éloge de son existence même.

LOUEZ votre éclat intérieur de
sorte que ses braises brûlent
d'un feu plus vif encore.

RENDEZ grâce à Dieu de
façon à propager cet amour
vers l'extérieur dans un cercle
de joie toujours plus grand.

NE voyez pas Dieu comme étant séparé de votre feu intérieur. Sachez qu'Il a créé et continue d'alimenter cette flamme originelle.

VOTRE lumière ne peut s'éteindre. Votre seul devoir est de veiller à ce que son éclat soit toujours plus grand, de manière à ce que tous puissent l'apercevoir.

TOUJOURS, rappelez-vous que la lumière Divine de Dieu brûle en vous, maintenant et à jamais.

LE centre puissant de votre cœur est un cadeau que Dieu vous fait durant votre périple sur Terre — il vous guide, se manifeste à vous et balaie tous les débris qui encombrent votre chemin.

ILLUMINEZ votre cœur en faisant des activités agréables : chantez, dansez, regardez le coucher de soleil, faites la sieste ou étreignez quelqu'un très fort.

AUX yeux de Dieu, vous et vos semblables êtes les plus belles créatures de l'Univers.

NOUS regardons au-delà de vos erreurs terrestres et voyons la flamme éternelle de l'amour Divin qui brûle en vous.

DITES-vous : « Je suis amour. Je suis lumière. » Voyez-le et sachez que c'est la vérité.

Tout est déjà guéri, sauf dans le rêve de la maladie. Laissez aller l'illusion en échange de la paix.

SIMPLEMENT, voyez la situation,
sans égard à son objet ou aux
apparences, comme étant déjà
réglée. Remerciez le Ciel qu'il
en soit ainsi.

MÊME un gramme de foi franchira le long chemin pour révéler les fondations guéries de tout problème apparent.

GARDEZ à la conscience cette vérité qui veut que la maladie ne puisse exister face à l'amour, et vous découvrirez la plus formidable de toutes les réalités.

GUÉRIR, quand vous comprenez bien ce que cela signifie, veut simplement dire prendre une ferme décision qui respecte les priorités de votre Moi supérieur.

VOTRE accès à la santé est éternellement disponible. Il suffit de le revendiquer, puisque vous désirez avoir davantage de temps et d'énergie à consacrer à votre mission bénie.

RIEN ne peut entraver votre décision claire et inébranlable d'être en santé, Enfant béni de Dieu.

VOTRE indiscutable pouvoir réside dans votre décision, votre intention et votre engagement.

AUCUNE force ne s'oppose à la vôtre. En ce sens, votre volonté et la volonté de Dieu coexistent en parfaite harmonie.

REDEVENIR naturel signifie
que vous faites confiance à la
guidance de votre cœur et
que vous suivez ses conseils.

S'IL y a quelque chose que vous
désirez, vous avez les moyens
de l'obtenir.

IL suffit d'exprimer clairement ce que vous voulez, de prier pour être guidée, puis de trouver la motivation dont vous avez besoin pour franchir les étapes que l'on vous a indiquées.

LE pouvoir vous appartient
à chaque instant.

UNE myriade de solutions est
à votre disposition, si seulement
vous vous concentrez pour attirer
les « solutions » plutôt que les
« problèmes ».

DIEU ne peut pas vous gaver de solutions ; néanmoins, Il attend que vous Lui adressiez vos prières pour qu'Il vous guide et vous aide à réaliser vos propres dénouements heureux.

VOUS avez beaucoup à offrir au monde, cher être ! Vous possédez de nombreux talents qui dépassent votre entendement.

VOUS avez le pouvoir — si vous
y ajoutez la ferme intention —
de créer une carrière branchée
sur votre mission de vie.

NOTRE prière est que vous fassiez appel à nous pour être guidée, et de nous assurer que vous la suivrez fidèlement.

CHAQUE moment de votre vie est une chance de servir, et par le fait même, une occasion de vous réjouir.

UNE des raisons qui font que les
anges sont si joyeux, c'est que
nous cherchons continuellement
à rendre service.

DONNER à partir d'un lieu
d'abondance, en sachant qu'il y
a énormément à donner, apporte
de la joie à tous.

SCRUTEZ l'horizon pour trouver des occasions de servir, et elles se présenteront aussitôt à vous.

VOUS avez des anges qui vous assistent dans votre travail de guérison, d'enseignement et de service ; alors n'hésitez pas à faire appel à nous pour vous soutenir.

VOS intentions créent vos expériences, alors gardez vos intentions uniquement pour voir, sentir et connaître la félicité.

SOYEZ prête à accueillir tout le bien qui vous arrive chaque jour.

PAR la grâce de Sa miséricorde,
vous savez que vous êtes bénie
de Dieu.

LORSQUE vous mettez votre foi dans le Créateur omniscient comme étant la Source de vos attentes, alors vous pouvez aisément aller de l'avant.

IL n'y a rien ni personne pour vous empêcher d'apprécier votre mission de vie.

VOUS êtes un agent entièrement libre, peu importent les apparences qui semblent prévaloir.

À chaque instant, il y a une personne ou une situation qui pourrait bénéficier de l'attention que vous portez à la lumière, à la vision et à l'amour Divins.

TOUJOURS, rappellez-vous que c'est vous qui construisez le scénario du film dans lequel vous jouez.

UNE intention positive vous
apportera les résultats désirés,
alors qu'une intention pessimiste
vous entravera toujours.

LES objectifs que vous visez avec
une intention claire sont ceux
vers lesquels vous vous acheminez
— et c'est ce que vous allez attirer
dans votre vie.

Dieu, dans sa volonté — et qui
est toujours en vous —, vous
dirige vers le bonheur en vous
rappelant que vous êtes déjà
immergée dans la joie.

LE plaisir que vous recherchez est atteint à l'instant même où vous vous permettez de jouir du don qui vous a déjà été offert.

LORSQUE vous acceptez de demander au Divin de vous guider en *toute chose*, vous êtes libre de vous abandonner et de jouir de la vie.

PEU importe l'intention
matérielle ou situationnelle,
abordez-la avec le désir de la
vivre dans la joie.

VOICI notre affirmation pour vous : *Mon cœur et mon esprit sont à présent remplis de joie. Je suis un éclatant reflet du bonheur de Dieu.*

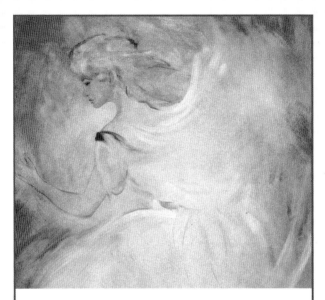

LA JOIE vous garde forte et vous permet d'accéder à la sagesse créatrice.

IL est possible de trouver la joie,
peu importe dans quelle situation
vous vous trouvez.

SOUVENEZ-vous que vous
êtes une enfant de Dieu, bénie
par la paix et la prospérité.

SERVEZ-vous de la musique pour
élever votre fréquence vibratoire
aussi souvent que possible, car elle
vous baigne dans l'éblouissante
lumière qui chasse la négativité.

SIMPLEMENT, faites appel à nous — et nous vous guiderons sans hésitation, sans interférence, sans contrôle, et toujours avec amour.

PERMETTEZ à la prière de vous rapprocher de la lumière qui est Dieu, quelle que soit l'émotion du moment.

SOYEZ dans le moment présent lorsque vous priez, et acceptez les pensées ou les sentiments qui se présentent à vous sans discrimination.

CHAQUE moment passé à prier est semblable à une pièce de monnaie que vous déposez dans votre compte en banque.

TOUT au long du jour,
élevez-vous, en communiquant
intérieurement avec nous par
la prière et la méditation.

SIMPLEMENT, confiez-nous vos préoccupations et nous les emporterons au loin, comme un concierge s'occuperait de sortir vos ordures.

VOUS n'avez aucun souci que vous ne puissiez remettre entre nos bras aimants et accueillants, cher être. Confiez-les-nous tous !

*P*RIER veut tout simplement dire
« rétablir la communication », et
communiquer avec le Divin est une
activité vitale si vous voulez jouir
d'une inspiration et d'une vitalité
sans limites.

VOUS pouvez commencer à prier
à n'importe quel moment du jour,
simplement en ayant mentalement
l'intention de communiquer avec
les vôtres au Paradis.

CONTINUEZ de penser que
vous aimeriez bénéficier de l'aide
bienveillante de Dieu, et ce sera
chose faite.

SOYEZ assurée que nous sommes toujours prêts à vous secourir, et sachez que nous ne refuserons jamais vos prières.

A DMIREZ sans réserve la beauté
de chacun, et abreuvez-vous
au parfum de l'Esprit qui vous
entoure.

SERVEZ-vous de vos dons
spirituels pour asperger le
monde de la lumière Divine.

VOUS avez le pouvoir de
créer ou d'éliminer le stress,
l'endettement et la douleur.
Aujourd'hui, choisissez la paix.

VOTRE âme n'a pas besoin d'amélioration, puisqu'elle est toujours restée aux côtés de Dieu et qu'elle n'a jamais oublié son moi béni et ses dons merveilleux !

138

Vous ne manquez de rien,
vous êtes chez vous, et en
sécurité — maintenant et
pour toujours.

C'EST seulement en remettant vos inévitables soucis et inquiétudes à la vraie source de l'amour — Dieu — qu'une association peut demeurer au plan le plus élevé.

Si vous êtes témoin de sept occasions où l'amour s'exprime durant la journée, la dépression peut être éradiquée.

N'OUBLIEZ pas votre Créateur céleste, Qui réside constamment en vous.

Vous, qui êtes investie du pouvoir de toutes les sphères célestes, ne vous sentez jamais victime des circonstances extérieures.

VOUS êtes aussi sainte que n'importe laquelle des créations du Ciel.

VOUS êtes un exemple éclatant de l'œuvre de Dieu, incarné dans un être tellement ravissant que les Cieux entiers respirent profondément en vous regardant.

NE réalisez-vous pas que nous, les anges, vous aimerons éternellement ; et que nous travaillons sans relâche pour vous aider à traverser ces moments d'agitation, de chagrin et de péril dans la lumière de la joie ?

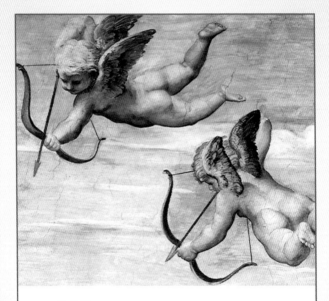

TOUT a été créé en votre
faveur, cher être, et nous
attendons votre décision
pour nous tenir dans la
lumière de cette joie.

CHAQUE partenariat se présente à vous pour une raison et dans un objectif précis.

LORSQUE vous rencontrez l'âme sœur, n'essayez pas de vous emparer de cette personne, mais réjouissez-vous, et appréciez en elle ses dons célestes.

Nous, les anges, vous embrassons avec gratitude, car la grâce et l'amour de Dieu transparaissent en vous.

CHAQUE fois que vous serez stressée, vous aurez aussi l'impression d'être une victime. Le pouvoir que Dieu vous a donné vous assure que vous ne pouvez pas être une victime, sauf si vous le croyez.

Tout le stress que vous vivez, c'est vous qui vous l'imposez, puisque toutes les situations qui engendrent du stress sont le fait de votre propre volonté. Vous êtes tout aussi libre de réduire ou d'éliminer ce stress.

LA douleur est un escroc du temps : elle comble, dans votre horaire, les vides en mal d'être consacrés à votre objectif de vie.

QUAND vous vous sentez stressée, faites appel aux anges pour déverrouiller les portes des prisons que vous avez vous-même érigées et où vous vous êtes embarrée.

LAISSEZ-nous attiser les flammes de votre lumière divine, de sorte que vous puissiez avancer vers votre objectif de vie sans hésitation, sans retard et sans compromis.

VOUS êtes née pour emporter ce pouvoir dans le monde et vous en servir comme d'une force transformatrice qui procure une grande joie au plus grand nombre.

VOTRE but est d'avancer dans de larges mouvements amples pendant que votre respiration se fait discrète et souple.

VOTRE âme sait que pour trouver son bonheur naturel, elle doit étendre sa joie au dehors, telle une source où ruisselle l'eau précieuse qu'elle a reçue en cadeau.

VOUS avez toujours su vous sortir de chaque situation qui s'est présentée à vous. Cela est aussi vrai pour votre avenir que ce le fut pour votre passé.

VOUS devez vous dire que vous serez prête, quoi qu'il advienne. Vous ne périrez pas, vous ne serez pas abandonnée, vous ne manquerez de rien. Tout ce dont vous aurez besoin, vous le trouverez sur votre route.

CHAQUE fois que vous vous apitoyez, vous accroissez la souffrance. Mais chaque fois que vous faites preuve de compassion et d'amour, vous mettez un terme à la souffrance.

LE Créateur est une essence puissante
et majestueuse d'amour universel.
Cet amour est si éclatant qu'il
abolit l'obscurité.

L'OBSCURITÉ est tout simplement incapable de pénétrer le regard intense de l'Unique. Elle est littéralement repoussée par Ses rayons éblouissants.

SOYEZ comme le Créateur et projetez votre lumière sur toutes les situations qui n'ont pas été fondées sur la joie.

VOUS agissez comme l'ange terrestre qui forme un pont de lumière, permettant aux autres de rentrer au bercail.

VOUS *portez* en vous un amour
merveilleux, en ce moment
même.

LES miracles arrivent à ceux qui aiment sans réserve ; et si vous acceptez que l'amour passe par une relation humaine, il sera à vous.

DANS cette immobilité,
vous entendez nos paroles
portées par votre respiration
silencieuse.

NOUS voyons les répercussions de tous les choix que vous faites, et nous cherchons seulement à vous encourager, quand cela est possible, à choisir le bonheur en tout.

169

ASSEYEZ-vous et prenez conscience de cette extraordinaire lumière qui est en vous et tout autour de vous en ce moment.

FAITES des miracles, cher être, en projetant la lumière de votre cœur, de votre esprit et de votre tête, et en enveloppant toutes les dimensions possibles du don de l'illumination.

VOUS devez réveiller vos frères
et sœurs endormis en projetant
à chaque instant votre lumière.

LA paix est stimulante et très
excitante lorsqu'on la connaît
et qu'on la comprend vraiment.

VIVRE en paix signifie avoir le courage de toujours aimer, sans craindre les répercussions.

RIEN ne peut être désordonné dans cet Univers, même si vous pouvez le penser.

PLUS vous nous autoriserez à vous aider, plus vous serez en mesure d'aider les autres. Et plus vous accepterez de recevoir nos dons, plus vous serez disposée à donner à autrui.

NOTRE amour pour vous coule continuellement de nos cœurs jusqu'au vôtre, et cela est vrai pour tous les êtres humains qui sont en mesure d'entendre ces paroles.

NOUS déversons sans arrêt de l'amour sur chaque situation, comme les pompiers affairés à éteindre le brasier qui fait rage.

L'ARCHANGE Gabriel est toujours là pour aider. Il assiste ceux qui possèdent des esprits brillants et créatifs, et canalise cette créativité afin que toute la planète en bénéficie.

LORSQUE vous faites un inventaire honnête et précis de votre situation actuelle, vous savez que vous avez le pouvoir de régler tous vos problèmes. Aujourd'hui, regardez votre vie en face sans crainte.

NOUS, les anges, allons vous guider au-delà de l'obscurité et vous exposer à la lumière qui réside au plus profond de votre être.

NOUS vous étreindrons avec une bienveillante fermeté, de sorte que vous n'aurez pas peur lorsque vous lèverez les yeux sur votre Moi sanctifié.

LA vérité chassera toutes vos peurs, tandis que nous vous guiderons doucement pour que vous regardiez au fond de vous avec une honnêteté aimante.

NOUS sommes ici pour veiller sur cette magnifique planète, et nous faisons tout ce que nous pouvons pour vous venir en aide.

SI vous remarquez un don particulier chez l'un de vos frères et sœurs spirituels, alors vous possédez certainement ce don vous aussi.

SOYEZ reconnaissante envers ceux et celles qui ont ouvert la porte avant vous, car ils vous ont indiqué de nouvelles possibilités.

LORSQUE vous voyez des étincelles ou des éclairs de lumière, c'est un signe que nous sommes tout près.

PLUS vous acceptez l'idée que votre vrai héritage est céleste, comme un être engendré par un grand amour, plus vous serez prête à accepter les avantages réservés à tous les enfants de l'Amour.

VOTRE présence en ce monde
rend tous les êtres heureux,
et nous cherchons à faire de
même pour vous !

QUAND vous demandez quel est le but de la vie, la réponse est toujours la même : « l'Amour ».

UTILISEZ chaque moment pour provoquer une étincelle dans les yeux de quelqu'un d'autre et pour réchauffer un cœur.

SERVEZ-vous de votre pouvoir réconfortant pour toucher ceux et celles qui sont dans le besoin, et de vos mains apaisantes, chassez le stress des divines plaines de la Terre.

METTEZ en marche toutes vos bonnes intentions aujourd'hui. Demandez-nous de vous aider, et nous le ferons avec plaisir.

RÉJOUISSEZ-vous d'être *déjà* heureuse, et ce sera le cas.

UNE prière qui a reçu une réponse ne signifie pas toujours que vos « souhaits » vont se réaliser, mais cela signifie que nous porterons sans délai notre attention sur vous et sur votre situation.

Il ne peut y avoir d'autre issue possible que le bonheur et l'amour, car rien d'autre n'*est* possible.

SI vous pouvez faire confiance à Dieu et à Ses artisans pour vous procurer réconfort, soutien et assurance, alors vous ouvrirez les bras pour accueillir ces présents.

NE courez jamais après quoi que ce soit, mais à la place, demandez et préparez-vous à recevoir.

DIEU vous veut plus de bien
que vous n'en voulez
vous-même !

LORSQUE vous infligez des
conditions à votre bonheur,
c'est comme conjuguer la
joie au futur.

IL n'y a pas, dans la conscience Divine, l'ombre d'une intention de vous tester ou de vous faire souffrir. Pour vous, et en chaque chose, Dieu ne désire que l'amour, la joie et la paix.

PERMETTEZ-nous de vous accorder les outils dont vous avez besoin afin que vous puissiez, vous aussi, combler le monde de vos dons.

L'INFINIE Sagesse peut prendre de nombreux chemins, et vous ne voudriez pas la diriger dans un sens moins satisfaisant en insistant pour qu'elle prenne une direction en particulier.

EN travaillant de concert avec les guides célestes, les changements que vous ferez seront gigantesques.

QUAND vous amorcerez des changements, cela se fera aussi rapidement que vous vous sentirez à l'aise de le faire.

SI vous désirez un changement
instantané, vous pouvez
certainement l'obtenir,
puisque votre cœur le désire.

VOYEZ la joie intérieure
en chacun, sans égard aux
conditions qui prévalent
à la surface.

PUISQUE vous pouvez voir le
Divin chez les autres, vous êtes
encore plus apte à voir ce
Divin en vous-même.

*S*ACHEZ que vous êtes une merveilleuse enfant de Dieu !

QUAND la confiance règne,
le reste se met en place sans
problème.

COMMENCEZ à partager avec votre partenaire le contenu de votre cœur : vos rêves et vos désirs.

SOYEZ totalement honnête
envers vous-même, par rapport
à tous les aspects de la situation
que vous envisagez.

CONCENTREZ-vous pour servir d'une manière qui vous apportera beaucoup de plaisir et de joie. Fixez bien votre propre but : « Comment puis-je servir ? », et tout vous sera donné.

SACHEZ que nous vous accompagnons dans votre travail actuel, ainsi que dans toutes les tâches que vous accomplirez dans le futur.

VOTRE âme assurera votre sécurité et vous donnera la bienveillante guidance que vous recherchez.

NE soyez pas effrayée de votre propre grandeur, mais laissez-nous la refléter pour vous durant nos communications.

COMME vous êtes visuellement témoin de notre grandeur, et que vos oreilles sont à l'écoute des voix de l'amour, ainsi serez-vous témoin de votre propre Divinité.

UN blocage émotionnel ou physique n'est pas une réalité, à moins que vous ne focalisiez là-dessus dans un constant état de conscience.

CHAQUE relation a, en son cœur, un objectif sacré.

Nous, les anges, ne pourrons
jamais cesser de vous aimer,
ni maintenant ni jamais.

ÉLEVEZ les personnes qui sont dans votre vie en les entourant d'une aura de la lumière la plus blanche qui soit.

SACHEZ que nous prenons soin de ceux et celles que vous aimez — que ce soit sur le plan terrestre ou parmi nous, dans le monde spirituel.

NOUS n'abandonnerons jamais ceux qui vous sont chers, ni vous non plus.

PEU importe quels actes
physiques peut poser un être
humain, nous l'aimons sans
condition et sans jugement.

SOYEZ tendres avec vous-mêmes, très chers êtres, et sachez que vous vivez tout près du cœur de Dieu.

225

VOUS, qui possédez un si grand pouvoir que nul ne peut l'égaler, tout comme Dieu, vous ne pourrez jamais être impuissante.

NOUS, qui avons pour mission de veiller sur vous, venons directement du même Esprit grandiose qui est en chacun de vous.

LA félicité du Créateur imprègne
toute la création, et c'est
uniquement dans l'oubli que
la misère existe.

VOUS êtes déjà au cœur de la
réalité bienheureuse de Dieu, et
il n'est nul besoin de la chercher
une seconde de plus.

NOUS vous aidons à vous rappeler votre nature Divine, à être aimant et tendre, à découvrir et à affiner vos talents pour le mieux-être de l'humanité, et à vous tenir loin du mal.

NOUS sommes avec vous pour réaliser le plan de paix de Dieu.

NOUS, les anges, vous aidons à être plus pacifiques, parce qu'une personne à la fois, un monde de gens pacifiques équivaut à un monde où règne la paix.

VOUS ne gaspillez pas notre temps si vous nous demandez de « petites » faveurs. Après tout, nous sommes un nombre illimité, et nous disposons d'un temps illimité.

BIEN qu'il s'avère que les défis font grandir, la paix mène à des regains de croissance encore plus importants.

EN étant un reflet de la paix,
vous êtes un exemple éclatant
de l'amour de Dieu.

NOUS, vos anges gardiens, vous sommes personnellement affectés tout au long de votre vie. Vous n'êtes jamais seule.

CHACUNE de vous — sans égard
à la foi, à la personnalité ou au
style de vie — a au moins deux
anges gardiens. Quant à savoir
si vous choisissez de nous écouter,
c'est une autre histoire.

CHAQUE être humain a la même aptitude à communiquer avec nous, car chacun est également « doué » spirituellement.

PLUS vous pourrez vous
détendre, plus il vous sera
facile de communier avec
nous consciemment.

LES ENFANTS ne se demandent pas s'ils imaginent leurs visions angéliques; ils se contentent de les accepter et d'en profiter. Conséquemment, les tout-petits n'ont aucun mal à voir et à entendre leurs anges gardiens.

NE laissez aucune peur
« interférer » avec votre
bonheur, car c'est le Royaume
des grands bienfaits de Dieu.

VOUS êtes plus puissante que
n'importe quelle force obscure.
Votre Divine volonté peut
abolir toute l'obscurité que
le monde n'ait jamais vue.

LES vraies expériences angéliques
sont chaleureuses, dépourvues de
danger, aimantes et rassurantes.

NOUS vous parlons pour répondre à vos requêtes. Ainsi pouvez-vous amorcer une conversation simplement en nous adressant une question.

Y a-t-il une question qui vous brûle les lèvres, ou un secteur de votre vie pour lequel vous désirez notre guidance? Prenez un moment, tout de suite, pour nous poser mentalement votre question.

MÊME si notre réponse ne vous parvient pas sur-le-champ, sachez que nous vous avons bel et bien entendue !

NOUS sommes en orbite autour de vous, comme les étoiles que vous voyez flotter autour des planètes dans le ciel.

QUOI qu'il arrive, vous pouvez toujours compter sur notre amour inconditionnel et constant.

SI, en regardant le ciel, vous apercevez un nuage qui a la forme d'un ange, c'est pour nous une façon de vous dire que nous sommes avec vous.

LORSQUE vous trouvez une plume ou une pièce de monnaie; lorsqu'une horloge s'arrête, que des objets changent de place chez vous, que des lumières clignotent, que votre télé s'allume et s'éteint toute seule, ou d'autres bizarreries visuelles, c'est que l'un de nous est en train de vous dire : « Coucou, je suis là ! »

VOIR mentalement un film qui vous
fournit un renseignement valable
concernant une personne ou une
situation, qui vous guide par rapport
à votre objectif ou aux changements
à apporter dans votre vie, cela est
un signe de notre présence.

NʹIMPORTE qui peut recevoir des messages de nous. En fait, vous recevez des messages de vos anges… *à l'instant !*

LA culpabilité diminue votre énergie physique et spirituelle, alors que la joie vous élève et vous permet de prendre votre envol. Confiez-nous votre culpabilité et nous la transformerons en joie.

SI vous vous sentez plus en paix
en recevant une aide financière,
en amorçant une belle relation
amoureuse ou en obtenant un
meilleur emploi, c'est que les anges
vous aident à réaliser une mission
sacrée.

AUCUNE requête n'est trop banale ou trop gigantesque pour nous.

SACHEZ que vous méritez notre amour, notre attention et nos miraculeux bienfaits. Nous vous aimons inconditionnellement, quelles que soient les erreurs que vous avez pu commettre dans votre vie.

PERMETTEZ-vous de rester ouverte à nos messages.

NOS messages vous aideront toujours à vous sentir plus heureuse et sûre de vous, et tous les aspects de votre vie vous apparaîtront plus riches de sens.

VOUS pouvez appeler plus d'anges à vos côtés (ou auprès de ceux que vous aimez), simplement en pensant que vous aimeriez être en contact avec d'autres anges.

NOUS voulons vous aider et vous livrer des messages, si seulement vous nous y autorisez.

PLUS vous permettrez au Ciel de
vous aider, plus vous posséderez
de ressources que vous pourrez
redonner au monde.

QUAND vous aurez pris l'habitude de nous inclure dans tous les secteurs de votre vie, vous fonctionnerez comme un membre d'une équipe championne.

VOUS apprenez quand vous êtes en paix et, plus important encore, vous êtes plus apte à enseigner à vos enfants et à vos semblables lorsque vous êtes dans un état de joyeuse détente.

DIEU ne veut certes pas vous voir souffrir, pas plus que vous ne voulez voir souffrir ceux que vous aimez.

EN captant nos messages, vous
pouvez aider à créer un monde
pacifique… une personne à la
fois.

VOUS êtes réellement un ange de la Terre que Dieu a envoyé ici pour accomplir des actions miraculeuses d'amour et de partage.

VOUS êtes bien-aimée et aimante, et nous, les anges des Cieux, sommes ici pour vous soutenir et vous guider.

NOUS, les anges, vous aiderons à purifier votre corps, votre tête et votre esprit de toutes les énergies inférieures qui pourraient vous ravir la santé et le bonheur qui sont des droits divins innés.

VOUS n'êtes jamais seule ; nous vous accompagnons continuellement, même lorsque vous n'êtes pas consciente de notre présence.

NOUS voulons interagir avec vous plus fréquemment. Nous aimerions être totalement engagés dans chaque aspect de votre vie, mais nous ne pourrons vous aider à moins que vous ne nous en fassiez la demande express.

COMME de nombreux aspects de la vie qui sont bons pour vous, comme la méditation et l'exercice physique, vous gagneriez à faire de la communication avec les anges un aspect régulier de votre vie.

ENTOUREZ-vous de symboles,
comme des statues et des affiches
représentant des anges, afin de ne
pas oublier de faire appel à nous,
vos amis célestes, pour obtenir
notre aide et notre secours.

VOUS ne devez pas attendre de traverser une crise ou quelque dilemme avant de nous appeler à l'aide. En fait, le mieux est de travailler avec nous dans n'importe quelle situation difficile, avant d'atteindre un point de non-retour.

IL n'y a pas de limites à ce que nous pouvons faire dans votre vie. Nous sommes des êtres très, très puissants.

AUSSITÔT que vous nous aurez invités dans votre vie, vous devrez vous tenir prête, car votre périple changera de façon miraculeuse.

SI vous ne croyez pas encore en nous complètement, vous saurez que nous sommes réels quand vous aurez demandé notre aide et que vous en aurez bénéficié deux ou trois fois.

LE royaume des anges vous aime,
et nous vous voyons telle que
vous êtes vraiment à l'intérieur.

NOUS vous percevons telle une enfant de Dieu, innocente et parfaite.

NOUS savons que vous avez erré de temps en temps. Néanmoins, nous regardons au-delà de vos erreurs et distinguons l'amour et les bonnes intentions qui résident en votre cœur.

Observez-vous, ainsi que vos semblables, à travers les yeux d'un ange, et vous verrez un monde magnifique, lumineux, brillant et rempli d'espoir.

VOUS *êtes* un ange, et vous êtes
une bénédiction pour le monde.

PLUTÔT que d'essayer de contrôler ou de régler des situations négatives à l'échelle humaine, nous travaillons avec vous sur un plan spirituel.

NOUS, les anges, vous rappelons continuellement que vous détenez tous les pouvoirs dont vous avez besoin : ils sont en vous.

NOUS sommes apparentés en ceci que nous sommes tous des créations du même Créateur tout-puissant et miséricordieux.

284

AUCUNE force négative ne peut arriver à pénétrer notre tutelle d'amour infini.

SI vous êtes dans un endroit inconnu ou un lieu où vous vous sentez en danger et déshonorée, demandez notre protection et nous vous aiderons à l'instant, sans poser de question.

PEU importe pour quelle raison vous requerrez notre aide, peu importe ce que vous croyez être vos blocages ou vos limites, nous avons une solution pour vous. Il suffit de demander.

NOUS voulons vraiment vous aider à retrouver la joie d'aimer Dieu ! Nous vous demandons de bien vouloir nous confier la situation afin que nous puissions y remédier.

CONFIEZ-nous vos soucis, vos déceptions et vos peurs. N'ayez crainte, l'honnêteté n'a pas de répercussions négatives, d'autant que nous savons déjà tout ce que vous allez dire.

NOUS vous rappelons que tous
les sentiments négatifs que vous
éprouvez envers votre prochain
ont un effet boomerang. Il
est impossible de juger ou de
blâmer autrui sans ressentir
une souffrance émotionnelle.

AVANT de faire quoi que ce soit, demandez à votre Moi supérieur, à Dieu et à nous, vos anges, de vous guider. Vous serez ainsi assurée de flotter continuellement dans un océan de miracles dont la beauté vous ébahira.

OFFREZ vos motivations à Dieu et demandez-Lui de les purifier. Dites : « Je Vous offre mes motivations et je Vous implore de m'aider à les purifier, afin que tous mes motifs soient alignés sur l'amour et la vérité. »

IL n'y a pas de pensées neutres, pas de moment durant la journée, où vos pensées ne créent pas des formes de pensée avec les effets qu'elles entraînent.

S'IL vous faut davantage de foi ou de conviction, demandez-nous de vous aider et vous constaterez bientôt un changement.

SI vous avez l'impression de ne pas mériter l'intervention Divine, demandez-nous tout simplement de vous aider à soutenir votre foi.

SI vous avez l'habitude de prendre soin de tout le monde, vous devriez faire preuve de patience envers vous-même quand vous développerez la nouvelle habitude d'accepter notre aide.

NOUS désirons communiquer clairement avec vous. Nous avons tant à vous apporter !

NOUS sommes avec vous où que vous alliez, aussi nous ne nous soucions pas de l'endroit *où* vous choisirez de vous adresser à nous.

SI ce n'est pas naturel pour vous de demander et d'accepter le secours Divin, demandez-nous de vous aider à changer cette tendance.

NOUS pouvons vous débarrasser de votre mauvaise estime de vous-même et de tout trait de caractère qui vous cause des désagréments.

SACHEZ que vous méritez notre aide ! Vous êtes un enfant de Dieu précieux et sanctifié, et vous méritez tout ce qui est bon.

DEMANDEZ-nous de vous dire nos noms. Ensuite, restez tranquille et écoutez. La réponse pourrait vous venir intuitivement ; vous pourriez avoir une impression concernant ce nom, ou encore l'entendre prononcer par une voix intérieure.

SI vous nous écoutez en gardant votre cœur grand ouvert, vous verrez qu'il n'est pas si difficile de nous entendre. La plupart du temps, nous sommes plus près que vous ne l'imaginez.

NOS voix angéliques sont invariablement aimantes et secourables, même lorsque nous vous disons qu'un danger se prépare ou que vous prenez la mauvaise direction.

CE n'est pas tout le monde qui « entend » le son de nos voix. Nombreux sont ceux ou celles qui reçoivent des messages divins par le truchement de moyens non verbaux comme les visions, les impressions ou les convictions.

IL est plus facile de nous entendre quand vous êtes seule, surtout lorsque vous vous trouvez dans un milieu naturel.

VOTRE ange gardien vous parle
sans arrêt, et vous offre gentiment
ses conseils et sa guidance.

NOUS entendons les prières de votre cœur, et si vous criez mentalement pour que nous venions à votre secours, nous volerons vers vous.

LES PARENTS peuvent faire appel à des gardiens angéliques pour guider et protéger leurs enfants tout au long du jour.

NOUS voulons vous entourer, et nous espérons vraiment vous apporter notre aide. Votre joie nous procure un bonheur immense.

POUR nous, les anges, aucune tâche n'est grande ou petite ; elles servent toutes à exprimer notre amour pour vous.

SI votre demande d'assistance angélique est sincère, nous apparaissons souvent avant que vous ayez fini de nous invoquer !

LES pensées d'amour de Dieu
nous ont créés. Comme les
pensées d'amour du Créateur
sont illimitées, il existe un
nombre illimité d'anges.

Nous sommes ici pour vous aider, en particulier lorsque vous souhaitez apporter joie et réconfort dans le monde.

DEMANDEZ autant d'anges que vous désirez pour qu'ils fassent partie de votre vie.

DEMANDEZ-nous de protéger ceux que vous aimez, votre foyer, votre véhicule et votre entreprise.

NOUS éprouvons de grandes joies lorsque nous vous aidons, et tout ce que nous demandons en retour, c'est de dire « merci » de temps en temps, en reconnaissance de notre aide. Cette gratitude vous sera d'ailleurs plus bénéfique qu'à nous.

PUISQUE la joie est notre première émotion, vous êtes assurée de ressentir un immense plaisir en communiquant sciemment avec nous, vos anges.

LA guidance Divine n'est
pas limitée aux profondes
révélations. Les messages qui
proviennent du Ciel sont surtout
profonds par leur simplicité.

LORSQUE vous prenez conscience de l'équipe invisible qui vous entoure, les événements ordinaires se changent en plaisir plutôt qu'en corvée.

NOUS aimons vous aider lorsque vous conduisez, vous vous habillez, vous dînez ou vous dansez — c'est-à-dire, lorsque vous accomplissez à peu près toutes les activités humaines, de A à Z.

NOUS parlons à chacune de vous continuellement, et vous possédez toutes un égal potentiel pour recevoir et pour comprendre nos paroles.

LE CIEL ne fait pas des miracles uniquement pour vous sortir d'un mauvais pas. Nous vous venons aussi en aide pour des situations ordinaires de tous les jours.

NOUS vous donnons des conseils pratiques et généraux sur la manière de résoudre vos dilemmes, de soigner vos blessures et de relever vos défis.

NOUS, vos anges gardiens, vous connaissons mieux que vous ne vous connaissez vous-même, car nous avons été affectés à vos côtés dès votre naissance, et nous vous avons regardé grandir et évoluer.

NOUS veillons sur vous
personnellement, et nous
savons toujours ce qui est
mieux pour vous.

NOUS sommes heureux de vous offrir nos solutions, car votre bonheur nous comble et réalise la volonté de Dieu.

DIEU aime tous ses enfants également et Il nous envoie, nous et nos messages, pour aider tous ceux et celles d'entre vous qui en font la demande.

N'AYEZ pas peur d'avoir du pouvoir ! Demandez-nous de vous libérer de ce genre de peur.

329

QUAND vous autorisez Dieu à vous soutenir, vous êtes mieux placée pour aider votre prochain.

TRÈS souvent, nous vous demandons de vivre votre foi en suivant nos conseils. Il en résultera toujours des bienfaits, même si vous ne savez pas exactement ce qui vous attend.

VOUS êtes souvent appelée à jouer le rôle d'un ange terrestre, pour répondre aux prières de quelqu'un d'autre.

CHAQUE fois que vous souriez
et que vous vous sentez heureuse,
vous accomplissez la volonté
de Dieu.

NOUS pouvons vous aider à voir
le côté lumineux de chaque
situation, à pardonner et à rire.

ARFOIS, vous vous inquiétez inutilement de votre avenir, ne réalisant pas, comme nous aimons le dire, que « vous êtes maître de votre journée ».

NOUS voulons vous rappeler que les montres et les horloges sont des appareils, et que c'est insensé pour un être humain d'être en compétition avec une mécanique.

PLUTÔT que de craindre des situations sombres, sachez que vous êtes éternellement protégée et en sécurité.

NOUS sommes tout autour de vous en ce moment, et nous avons tant d'amour, de sagesse, de conseils, de joyeuse camaraderie et d'énergie de guérison à vous offrir !

NOUS sommes continuellement avec vous, prêts à vous guider et à vous aider dès que vous en exprimez le souhait.

DEMANDEZ-nous de protéger et d'entourer d'amour vos êtres chers, votre foyer et votre entreprise.

N'HÉSITEZ jamais à faire appel à nous de crainte que votre besoin ne soit « pas assez important » ou que l'un d'entre nous soit occupé. Nous voulons vous aider en toute chose, petite ou grande.

VOTRE appel à l'aide est une
douce musique à nos oreilles.

VOUS n'avez pas besoin de prononcer une invitation formelle ou un rituel d'invocation ; vous n'avez même pas besoin de verbaliser votre appel. Il suffit que vous pensiez : *Anges !*

NOUS, vos anges gardiens et autres membres du royaume angélique, sommes heureux de vous aider à vous libérer des effets négatifs de la pensée craintive.

MALGRÉ *tout* ce que vous avez pu dire, penser ou faire jusqu'ici, nous vous aimons inconditionnellement.

INVITEZ tous les anges que vous souhaitez avoir à vos côtés ; il n'y a pas de pénurie.

UN des avantages d'avoir des anges additionnels, c'est qu'ils forment un plus gros coussin d'énergie aimante, ce qui vous rend moins vulnérable aux soucis et aux difficultés.

CONFIEZ-nous tout ce qui
vous inquiète ou vous perturbe,
déposez ce poids sur nos épaules,
nous le mènerons vers la lumière
pour le guérir et le transmuer.

SOYEZ prête à recevoir tous les présents et les bienfaits que nous vous donnerons aujourd'hui. Ces cadeaux se présentent souvent sous forme de petits miracles.

LA JOIE est l'émotion la plus noble et la plus puissante qui soit, alors que la culpabilité est la plus médiocre. Confiez-nous votre culpabilité, nous la transformerons en joie !

QUELS rêves, quels désirs
habitent votre cœur ? Avouez-
les à vous-même, de même qu'à
vos anges dès maintenant, puis
demandez-nous de vous aider à
changer vos rêves en réalité.

VOUS pouvez régler les disputes et malentendus en écrivant une lettre à l'ange gardien de quelqu'un d'autre et en lui demandant de pacifier votre relation.

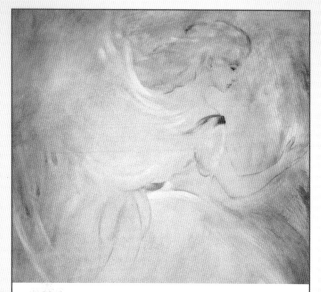

QUAND vous avez une pensée peu affectueuse ou dépourvue d'amour — comme l'envie, l'inquiétude ou le ressentiment — vous souffrez. Demandez-nous de vous aider à nourrir uniquement des pensées d'amour.

Nous vous respectons énormément
et nous ne ferons jamais rien pour
vous effrayer. Si nous savons que
le fait de nous voir puisse vous
apeurer, nous veillerons à ce que
vous ne nous voyiez pas tant que
vous ne serez pas prête.

CHACUN — quels que soient ses
antécédents spirituels, religieux
ou éducatifs — peut recevoir des
communications claires provenant
du Divin royaume spirituel.

LE CIEL apporte des réponses dignes de foi aux questions les plus profondes, les plus personnelles et les plus urgentes que vous posez.

VOUS êtes le plus beau triomphe de Dieu, et tandis que vous vous réjouissez à prendre conscience de ce simple fait, laissez-nous retirer toutes les couches de poussière douloureuse que vous avez accumulées durant vos périples.

QUAND vous prenez l'habitude de converser avec nous sans discontinuer, chacune de vos actions et de vos pensées est guidée par une puissante harmonie.

CHAQUE fois que vous résistez,
vous coupez votre communication
spirituelle avec le Ciel. Pour mieux
nous entendre, vous devez vous
détendre et vous abandonner.

ENFANT, vous étiez consciente d'être en contact avec Dieu et avec les anges. Vous pouvez rétablir ce lien de communication avec le Ciel dès l'instant où vous vous libérez de vos peurs. Demandez-nous de vous aider à opérer cette « libération ».

PUISQUE nous, les anges, sommes un cadeau du Créateur, vous exprimez votre gratitude à Dieu en aimant ce cadeau.

LES enfants entendent aisément les voix du Ciel parce qu'ils acceptent sans poser de question. Pouvez-vous mettre cette ouverture d'esprit en pratique et savoir que la communication avec le Divin est aussi naturelle pour vous que pour un enfant ?

Toujours, le Ciel vous rappelle de faire des choix fondés sur l'amour et non sur la peur.

NOUS vous guidons avec amour et dignité vers une carrière qui suscite votre passion et qui a une utilité pour l'humanité, tout en vous permettant de combler tous vos besoins matériels.

AUCUNE question, aucun défi
ni aucun problème ne sont
trop énormes ou trop futiles
aux yeux de Dieu.

VOTRE éclat intérieur provient de la lumière de Dieu, et jamais votre lumière ne pourra s'éteindre ou être souillée. Vous êtes éternellement lumineuse et magnifique !

Au sujet de l'auteure

www.photographybycheryl.com

DOREEN VIRTUE, PH.D.,** possède trois diplômes universitaires en psychologie du counseling et travaille avec le royaume angélique. Elle est l'auteure à succès des livres et cartes oracles *Guérir avec l'aide des anges* et *Messages de vos anges*, entre autres publications. Doreen donne des conférences à l'échelle internationale et enseigne aux membres de son auditoire comment communiquer avec leurs anges gardiens. Elle a fait de nombreuses apparitions aux émissions télévisées *Oprah*, CNN et *Good Morning America*, en plus de publier dans plusieurs magazines à travers le monde. Vous pouvez consulter son site web au : **www.AngelTherapy.com**

www.AdA-inc.com
info@AdA-inc.com